Este libro pertenece a: ....

*Para **Dorothea** con amor.*
—*K. C.*

© Ediciones Jaguar, 2016
C/ Laurel 23, 1º. 28005 Madrid
www.edicionesjaguar.com

© Texto e ilustraciones: Katrin Coetzer, 2015

© Traducido por: Merme L'Hada

IBIC: YBC
ISBN: 978-84-16434-31-2
Depósito legal: M-7606-2016

First published in South Africa in 2015 by Bumble Books, an imprint of Publishing Print Matters
(Pty) Ltd. P O Box 640, Noordhoek 7979, Western Cape, South Africa.
Spanish translation rights arranged through S.B.Rights Agency.

ANA APRENDE
A NADAR

KATRIN COETZER

Ana y mamá están comprando un bañador nuevo,
porque Ana comienza al día siguiente sus clases de
natación con la señorita Clara.

—Todos los niños deberían aprender a nadar.
No queremos ahogarnos, ¿no? Además, ¡nadar es
divertido! —dice mamá.

A Ringo, el perro de Ana, le encanta jugar en el jardín bajo el aspersor.
Ana se pone su bañador nuevo y juega con él, pero no le gusta nada
que el agua le salpique la cara.

Es el primer día de clase de natación de Ana. La señorita Clara
le enseña a patear mientras se sujeta al borde de la piscina.

Ana patea y salpica por todas partes. Pero para poder nadar bien,
Ana deberá alejarse del borde de la piscina.
La señorita Clara la sujeta en el agua para que no se hunda.

Ana no puede soportar el agua en su cara.
Quiere salirse.

La señorita Clara le anima:
—¡Sigue intentándolo, Ana, no te rindas!

Ana se esfuerza por mantener la cabeza debajo del agua, porque debe aprender a aguantar la respiración y a expulsar el aire haciendo burbujas.

Entonces, la señorita Clara tiene una idea. Tira piedras de colores brillantes al fondo de la piscina para que Ana las recoja. Así aprende rápidamente a mantener la cabeza bajo el agua y los ojos abiertos mientras recupera las bonitas piedras del fondo de la piscina.

Hoy es la segunda clase de Ana.
Ana y su mamá llegan pronto, la señorita Clara está
todavía con Lisa. Ella tiene que tirarse a la piscina
desde el borde. Lisa practica una y otra vez hasta que
lo hace bien.

Es el turno de Ana, tiene que aprender a tirarse al agua desde la orilla. Ana está preocupada y un poco asustada también.

Se da un planchazo al tirarse y traga agua.

¡HA SIDO HORRIBLE!

Ana no quiere volver a tirarse.
Que pueda ahogarse le da mucho miedo, está asustada.

Esa misma noche, Ana sueña que nada bajo
el agua entre nutrias y un simpático oso polar.

SHALLOW END

En la siguiente clase, la señorita Clara tiene otra idea.
Deja que Ana y Lisa practiquen juntas en la zona que menos cubre.

Lisa nada bajo el agua como las nutrias del sueño de Ana.
El miedo de Ana se escabulle.

Las mamás están encantadas con los progresos de las niñas.

Ana disfruta cada vez más y más de las clases.
Puede flotar sobre su espalda sin hundirse y ya no tiene
miedo a ahogarse.

Un buen día, Lisa decide tirarse desde el trampolín.

Todo el mundo la aclama y aplaude.
Ana piensa que Lisa es muy valiente.

—Estoy muy orgullosa de mis dos pequeñas
nadadoras —les dice la señorita Clara.

Desde entonces, Lisa y Ana son grandes amigas.

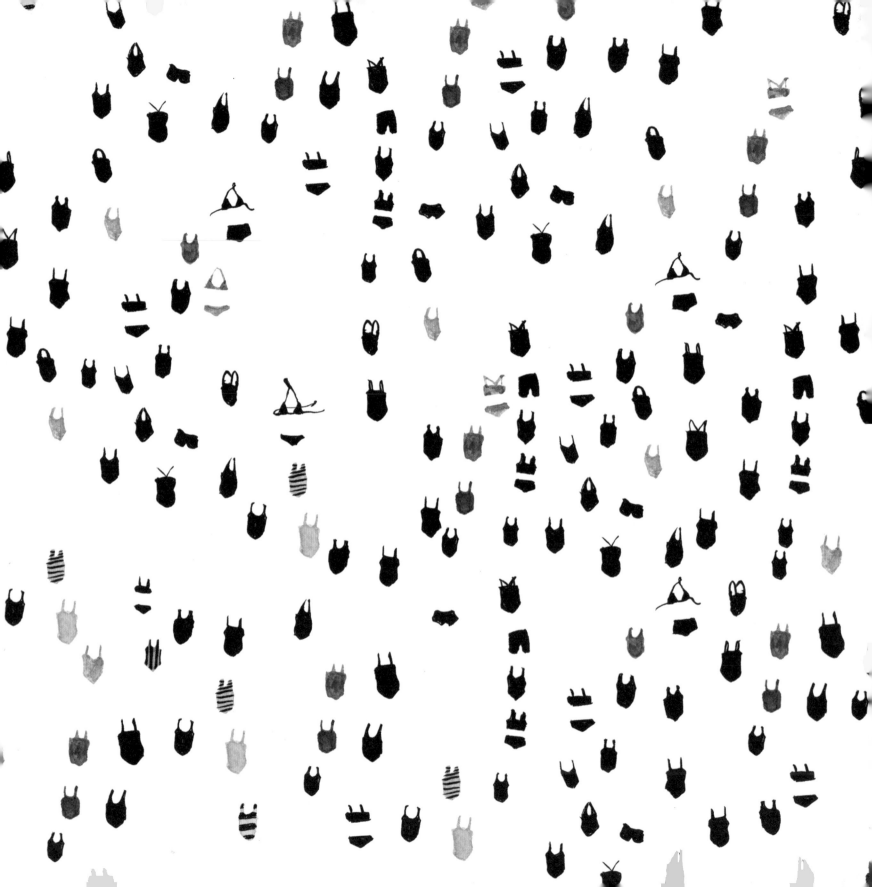